C000117709

Auteur : Dominique de Saint Mars

Après des études de sociologie,
elle a été journaliste à *Astrapi*.
Elle écrit des histoires
qui donnent la parole aux enfants
et traduisent leurs émotions.
Elle dit en souriant qu'elle a interviewé
au moins 100 000 enfants...
Ses deux fils, Arthur et Henri,
ont été ses premiers inspirateurs !
Prix de la Fondation pour l'Enfance.
Auteur de *On va avoir un bébé*,
Je grandis, *Les Filles et les Garçons*,
Passeport pour l'école
et *Léon a deux maisons*.

Illustrateur : Serge Bloch

Cet observateur plein d'humour
et de tendresse est aussi un maître
de la mise en scène.
Tout en distillant son humour généreux
à longueur de cases, il aime faire sentir
la profondeur des sentiments.

Lili veut un petit chat

Collection dirigée par Dominique de Saint Mars

© Calligram 1995
© Calligram 1996 pour la présente édition
Tous droits réservés pour tous pays
Imprimé en CEE
ISBN : 2-88445-300-8

Ainsi va la vie

Lili veut
un petit chat

Dominique de Saint Mars

Serge Bloch

CALLIGRAM
CHRISTIAN GALLIMARD

9

10

11

14

15

16

17

18

23

24

25

27

31

32

Un animal agit par instinct. Il ne peut pas te comprendre comme une personne.

Oui, mais vous n'êtes pas souvent là...

C'est vrai, Paul, que tu rentres trop tard, je te l'ai déjà dit !

Et toi, alors !

34

37

Bon, on va donner les autres... mais, celui-là, on le garde!

YOUPiii!!

Mais défense d'aller voir les chats tout le temps! Une fois par jour seulement... Maintenant, allez travailler!

LE SOIR MÊME...

Lili! Je viens de surprendre papa qui prenait du lait dans le frigo! Viens voir!

39

40

Et toi ?

Est-ce qu'il t'est arrivé la même histoire qu'à Lili ?

Quel animal aimerais-tu avoir ?

En as-tu envie pour avoir un animal à toi ?
Parce que tu te sens proche des animaux ?

Est-ce parce que tu as envie de plus de câlins ?
Que tu n'as personne à qui confier tes secrets ?

As-tu envie que l'on t'obéisse,
que l'on t'aime, ou que l'on te protège ?

Si tes parents ne veulent pas d'animaux,
comprends-tu pourquoi ?

Est-ce parce que tu en as déjà un ? Que tu habites
en ville ? Qu'il n'y a personne pour s'en occuper ?

En as-tu déjà un ? Lui donnes-tu à manger toi-même ?
Nettoies-tu sa niche ou sa litière ?

Penses-tu qu'un animal serait malheureux chez toi ?
Ou que tu n'aurais pas le temps de t'en occuper ?

Préfères-tu les humains ? Trouves-tu
que c'est mieux pour discuter, pour faire des câlins ?

Préfères-tu les animaux sauvages,
ou bien les chevaux, les poules, les cochons... ?

As-tu peur des animaux ?
T'es-tu déjà fait griffer ou mordre ?

Trouves-tu qu'on dépense trop d'argent
pour les animaux domestiques ?

**Après avoir réfléchi
à ces questions
sur les animaux domestiques,
tu peux en parler
avec tes parents ou tes amis.**

Baedeker
Canaria